U0483332

静电超人

6

水弹袭击

[加拿大]阿兰·M.贝杰隆 / 著
[加拿大]桑帕尔 / 绘
余 轶 / 译

天津出版传媒集团
新蕾出版社

图书在版编目 (CIP) 数据

水弹袭击 / (加) 阿兰·M.贝杰隆 (Alain M. Bergeron) 著；(加) 桑帕尔 (Sampar) 绘；余轶译. -- 天津：新蕾出版社，2023.11
(静电超人；6)
ISBN 978-7-5307-7617-9

Ⅰ.①水… Ⅱ.①阿… ②桑… ③余… Ⅲ.①儿童故事-图画故事-加拿大-现代 Ⅳ.①I711.85

中国国家版本馆 CIP 数据核字(2023)第 148016 号

Original French title: Capitaine Static – Mystère et boule de gomme
Author: Alain M. Bergeron
Illustrated by: Sampar
Copyright © 2014, Editions Québec Amérique inc.
Simplified Chinese translation copyright © 2023 by New Buds Publishing House (Tianjin) Limited Company arranged through Wubenshu Children's Books Agency.
ALL RIGHTS RESERVED
津图登字:02-2022-083

书　　名	水弹袭击　SHUI DAN XIJI
出版发行	天津出版传媒集团 新蕾出版社
	http://www.newbuds.com.cn
地　　址	天津市和平区西康路 35 号 (300051)
出 版 人	马玉秀
电　　话	总编办 (022)23332422 发行部 (022)23332351　23332679
传　　真	(022)23332422
经　　销	全国新华书店
印　　刷	天津海顺印业包装有限公司
开　　本	889mm×1194mm　1/32
字　　数	35 千字
印　　张	2
版　　次	2023 年 11 月第 1 版　2023 年 11 月第 1 次印刷
定　　价	22.00 元

著作权所有，请勿擅用本书制作各类出版物，违者必究。
如发现印、装质量问题，影响阅读，请与本社发行部联系调换。
地址:天津市和平区西康路 35 号
电话:(022)23332677　邮编:300051

谨以此书献给德拉夫和迪比克，他们是了不起的创造者！

静电⚡超人绝密档案

名字：查理·西马

真实身份：一名普通的小学四年级男孩

装备

- 尼龙材质的钢蓝色超人服
- 红色披风 
- 红色眼罩 
- 黄绿相间的羊毛拖鞋 

超能力：静电攻击

粉丝团：电粉团

温馨提示
！千万不要让静电超人碰衣物柔顺剂！！

超能力秘密来源：拖着脚走路

警告

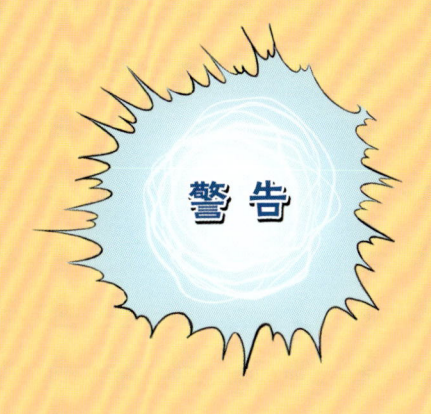

谁摩擦,谁起电!
　　——静电超人的格言

啪嗒!

啊，我帅气的静电超人……

第 1 章

　　超级英雄是没有节假日的!

　　超人和蜘蛛侠会不会也在夏日来一场休闲度假呢?难道在35℃的高温下,他们还得捉坏蛋,把坏蛋关进监牢里,让他们凉快凉快?

　　我为什么会这么想呢?也许是因为太阳烤得我头皮发麻。盛夏已至,自打我成为非凡的静电超人以来,还是头一次给自己放假呢!

　　我要和我最好的朋友佩内洛普,还有她的弟弟弗雷德,一起去海边。

糟糕！

我踩到一块大大的粉红色口香糖，它粘在了我的拖鞋上。我只好扶着弗雷德单脚站立，试着用一块尖石头把口香糖刮走，活像一只火烈鸟！弗雷德果然是我最好的支持者。

真恶心！大家应该把这玩意儿丢进垃圾桶才对！

连静电超人也觉得难以对付？

我终于把口香糖从拖鞋上弄掉了,但我没时间把它捡起来丢进垃圾桶。结果,那块口香糖又被弗雷德踩到了。

"哎!你应该把这玩意儿丢进垃圾桶才对!"弗雷德责怪我。

他脱下鞋子递给我。我只好再做一次口香糖清理工作,再感受一次恶心的滋味。

等到口香糖乖乖进了垃圾桶,弗雷德接受了我的道歉,我们这才继续向沙滩走去。

来到沙滩上,我们找到一块落脚的好地方。

这里的人可真多,我们特意避开人群,免得有人打扰我们晒日光浴。

佩内洛普指指我的沙滩包："你带浴巾了吗？"

我稍微有点儿尴尬，但尽量不表现出来："嗯……带了……我还带了防晒霜。"

终于可以舒舒服服地躺在遮阳伞下了！在我们周围，有的孩子在堆大大的沙雕城堡，有的在玩皮球或飞盘，还有的在游泳或者吃吃喝喝。

"这真是一片梦的天堂！"佩内洛普感慨。

啊！多么美好的一天！每个人都轻松自在，沙滩上只有朋友，没有敌人。假期万岁！

突然，一阵沙暴袭来，刮了我们一脸沙子。沙滩遭遇龙卷风袭击！

消停一点儿，你们这些傻瓜！

美好的时光总是短暂……

原来是弗丽斯小姐,后面跟着大乔一伙。他们来到孩子们堆的沙雕城堡边。弗丽斯小姐纵身跃起,紧接着用力旋转身体,把沙子全甩到了别人身上。沙雕城堡被摧毁殆尽,只有一座城堡还完好无损。

你们还在等什么?

任务完成,安吉利库库!

我跟你说过一百遍了,不要这样叫我!

他们渐渐走远,只留下残破的沙雕城堡和一个哭泣的小孩儿。

瞧,超级英雄果然没法儿休息,哪怕是在七月的假期里。我一把抓起沙滩包,想去找一个可以更衣的地方。

"你去哪儿,查理?"佩内洛普问。

"这还用问吗?他要变身为静电超人了!"弗雷德激动地说。

就像我之前对佩内洛普说的,我确实在包里装了防晒霜、浴巾,当然还有我的超人服和拖鞋。这算是我作为超级英雄的习惯做法吧。经验证明,哪怕是在假期,也随时可能有危险降临。

我发现一个电话亭,于是冲了进去,换好衣服,穿上拖鞋,再以静电超人的身份冲了出来,背着包直接赶往"犯罪现场"。

弗丽斯小姐和大乔一伙这会儿正要攻击佩内洛普!

弗雷德平躺在地上，整个身体都被弗丽斯小姐那长长的浴巾盖住了。

这是我们的地盘，你们快走开！

我们明明比你们先来！

我早就把浴巾放在这里了，它自己又不会动！大乔，你还不动手吗？我可不想被太阳晒伤……

交给我吧，安吉利库库！

我把浴巾往地上一扔——并不是为了晒太阳,而是要用它来摩擦双脚。

我现在电量充足,杀伤力极强!

静电超人!

我看是穿拖鞋的超级狗熊吧……

我不会让你得逞的,弗丽斯小姐!坏人不收手,超级英雄就不放假!

哈,这句话不错嘛!我怎么早没想到呢?这简直就是超级英雄的完美宣言啊!

大乔一伙后退了一步。弗丽斯小姐只好用她惯用的"礼貌用语"命令大乔一伙发起进攻:"快给我上啊,你们这群傻子!他在沙滩上是没法儿充电的,这里又没铺地毯!"

我故意装出一副心惊胆战的模样:"糟糕,被你们看出来了!"

弗丽斯小姐指了指在一旁围观的人群:"他们都将是你惨败的见证者,包括我。"

说完,弗丽斯小姐开始在空中旋转,大乔一伙纷纷效仿。一秒钟后,一道闪电射向他们,五个坏蛋全都以无比"优美"的姿势栽倒在沙滩上,大乔的头扎进了沙子。

我走到弗丽斯小姐身边。她显然还晕乎着呢。我朝沙滩指了指，对她说："那边有个小朋友，在等你跟他道歉！"

弗丽斯小姐费力地站起来，跟大乔一起向那个孩子走去。弗雷德对此十分满意，兴奋地与我击拳。

笑声来自围观我与弗丽斯小姐及大乔一伙对决的人群。

是谁如此胆大妄为？

第 2 章

这时,罗埃尔夫人朝沙滩走来。她头戴一顶可笑的宽檐遮阳帽,身穿睡衣,睡衣上印着大朵大朵的雏菊。她怀里抱着的就是她的心肝宝贝——宠物猫牛顿三世。

"我们俩一起来场日光浴吧!把皮肤晒得美美的,你好去参加选美大赛!"罗埃尔夫人对牛顿三世说。

可她刚坐好,几个拿水枪打水仗的孩子就击碎了她的美梦。她急忙护住自己的猫。

到别处玩去,别把脏水弄到我宝贝猫咪的身上!

孩子们只好嘟囔着走开了。牛顿三世认出我,朝我跑来。这可不太妙……

罗埃尔夫人怎么偏偏就在这个时候来了呢?

"啊!!!我的猫!!!"

我试着为自己辩解,可这比咬冰淇淋不留牙印还难。

罗埃尔夫人夹起她的猫,飞快地走远了。那只可怜的小家伙还在不停地滴水。

我看了看四周。一定是有人在捉弄我!人群中,有人目光躲闪,笑声依然。

这会不会只是一个意外的小插曲呢?难道我成了某个神秘人的攻击对象?这与弗丽斯小姐和大乔一伙有关系吗?很难说……

我该不会又树敌了吧?谁会跟静电超人过不去呢?

我和佩内洛普、弗雷德坐在冰淇淋店的露天卡座上,一边吃着香草冰淇淋,一边讨论这个话题。

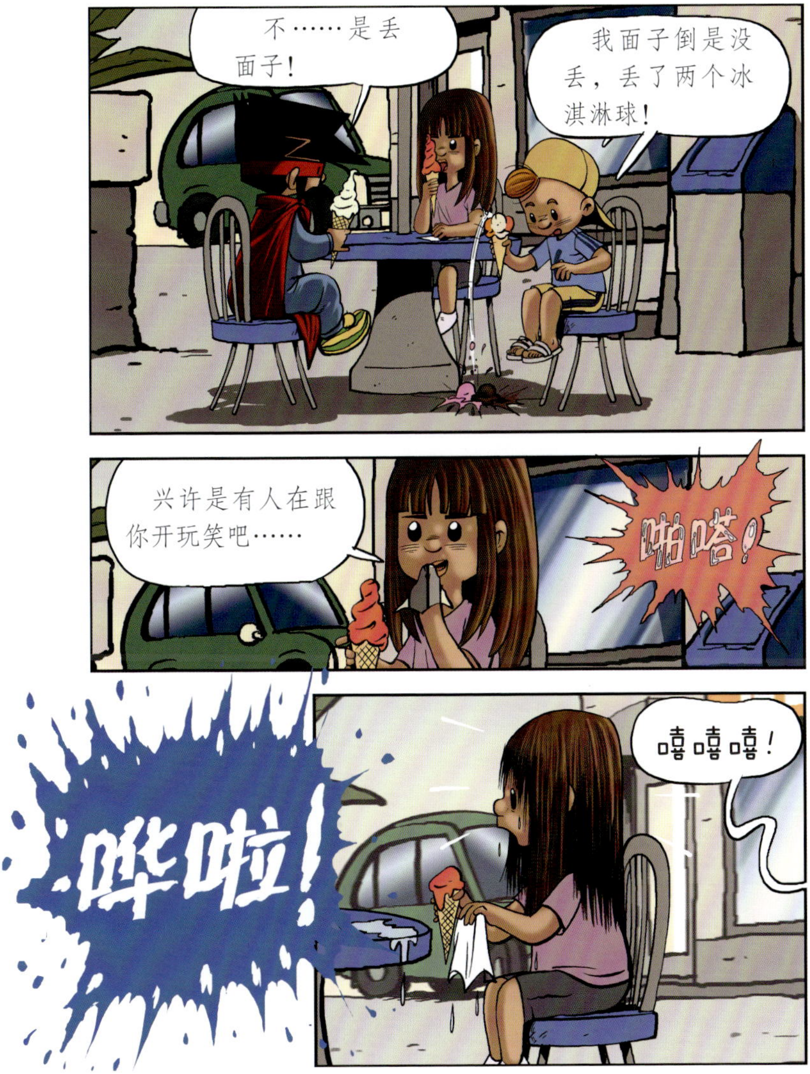

不……是丢面子！
我面子倒是没丢，丢了两个冰淇淋球！
兴许是有人在跟你开玩笑吧……
啪嗒！
哗啦！
嘻嘻嘻！

我和弗雷德惊讶地发现,佩内洛普从头到脚都湿了!她暴跳如雷。

"是谁?谁敢这样对我?我敢打赌,一定是弗丽斯小姐!我要通知律师、警察、军队、宇宙空间站,有人欺负我!"

周围的人都在偷笑。我得赶紧想想如何安慰她。

"这……佩内洛普,兴许是有人在跟你开玩笑吧,还能让你的皮肤保湿。"

我的努力显然是白费了,她的怒火丝毫没有消减。

"你管这叫保湿?你在胡说什么呀!这明明就是丢面子!"

话音刚落,佩内洛普就后悔了。她调整了一下情绪,神情忧郁地看着我说:"你说得对,查理。这果然让人觉得……丢面子。"

正所谓"祸不单行"——

"亲爱的佩内洛普,你这是在公共场所洗澡吗?我劝你还是注意一下影响吧,大家都在享用美食呢……"

来者正是弗丽斯小姐,还有她的跟班大乔一伙。

"佩内洛普,你真是太恶心了!"大乔附和道。

我噌地站起来,指着大乔的鼻子说:"你太过分了!别怪我对你不客气!"

可是他们压根儿不搭理我们,说笑着扬长而去。

佩内洛普示意我坐下。

确实,现在我身上根本没有电。我首先得集中精力,找出那个神秘的袭击者。弗雷德因为有我在就什么也不怕,还在冲大乔一伙大喊:

别忘了!

谁摩擦,谁……

啪嗒!

哗啦!

嘻嘻嘻!

哗啦?谁摩擦,谁哗啦?不对呀!

唉,果然是打水仗的季节!

第 3 章

我和佩内洛普在同一个班。我们的班主任帕提斯老师,此刻正站在镜子前,心情愉快。这表明他即将出门。他仔细梳理头发——这是一顶假发,而且看上去并不像他以为的那样自然。他把假发调了又调,直到自己满意为止。

然后,他吹着口哨儿出门了,心情大好。他时不时地向路人微笑,打招呼,其中就包括抱着湿淋淋的牛顿三世匆匆赶路的罗埃尔夫人。罗埃尔夫人一脸怒气,并没有回应他的热情问候。

帕提斯老师到处闲逛，又在一家店铺的玻璃橱窗前站定，对着玻璃再次整理他的假发。

帕提斯老师继续往前走。他遇到了弗丽斯小姐及大乔一伙。他们嘟囔着向他问好，很快又转过身去嘀咕："刚刚那个人真是帕提斯老师吗？"

稍远处，帕提斯老师又遇见了我、佩内洛普和弗雷德。我们停下脚步，聊了一会儿。帕提斯老师脸上一直挂着笑。

你们好，孩子们！假期玩得开心吧？

超级英雄不放假。这一点，您一定已经猜到了……

帕提斯老师，您的样子好像变了。

啊？是吗？

帕提斯老师被淋得透湿，假发滑落到他的左脸上，使他狼狈不堪。面对这样的情景，我是该笑呢，还是该……笑呢？

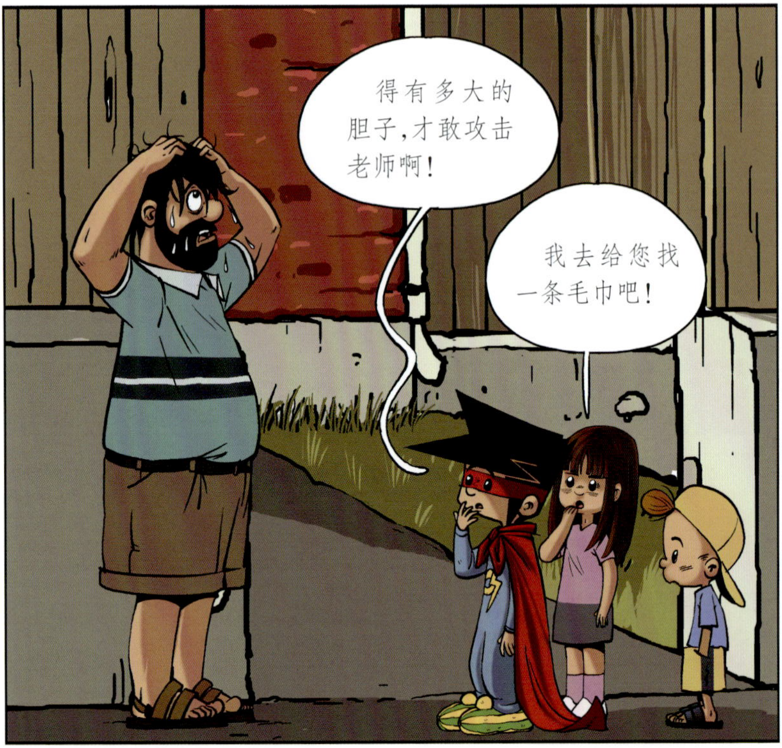
得有多大的胆子，才敢攻击老师啊！
我去给您找一条毛巾吧！

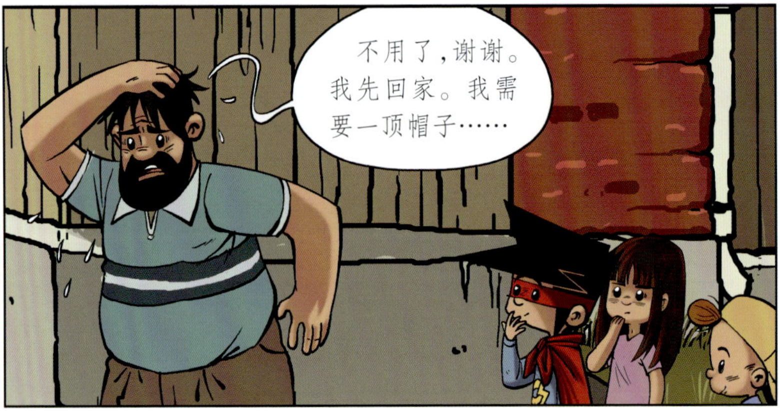
不用了，谢谢。我先回家。我需要一顶帽子……

我在城市开展的关于水弹袭击的最新调查显示：水弹袭击发生时，先是"啪嗒"一声，随后是"哗啦"一声，最后是一串"嘻嘻嘻"的笑声。

到底是谁在搞恶作剧？我怀疑是大乔干的，弗丽斯小姐就是幕后指使者。不过，我那超级英雄的本能告诉我，也许有另外一个敌人躲在暗处。他是谁？他为什么要这样做？我对此一无所知。

水弹袭击事件几乎每天都会发生。

从此以后，我每天都是充好电、穿好超人服再出门。忘了我的日光浴吧，反正我的暑假目标也不是身穿泳装登上《最佳肤色》杂志封面。这项特权就留给大乔吧！

最佳肤色

第 4 章

　　这些从天而降的水弹,让我变得神经兮兮的。这样的假期怎么能算是假期呢?

　　我每时每刻都在担心水弹的降临。无论在闹市、海滩还是公园,我一直在紧张地捕捉那一声"啪嗒"……

　　我决不能放松警惕。现在,我要去市中心的冰淇淋店与佩内洛普和弗雷德会合。我特意挑选了一个位于天台的位置,以便把四周情况尽收眼底。除此之外,我还带了一把雨伞。它就靠在我的座椅上,随时可以取用。

今天的人依然很多。时间缓慢得就像我在牙医诊所拔牙时那样。我用目光追随人群，留意屋顶上的一切可疑动静，但并未发现任何异常情况。

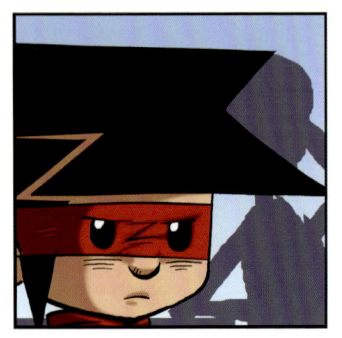

静电超人，那又是你的崇拜者？

也许吧！她叫什么来着？凯琳？珍妮？薇琪？

我的粉丝太多，我记不住他们的名字。

她叫玛丽斯……

你怎么知道？

她是马克的朋友，刚刚和马克打过招呼呢！

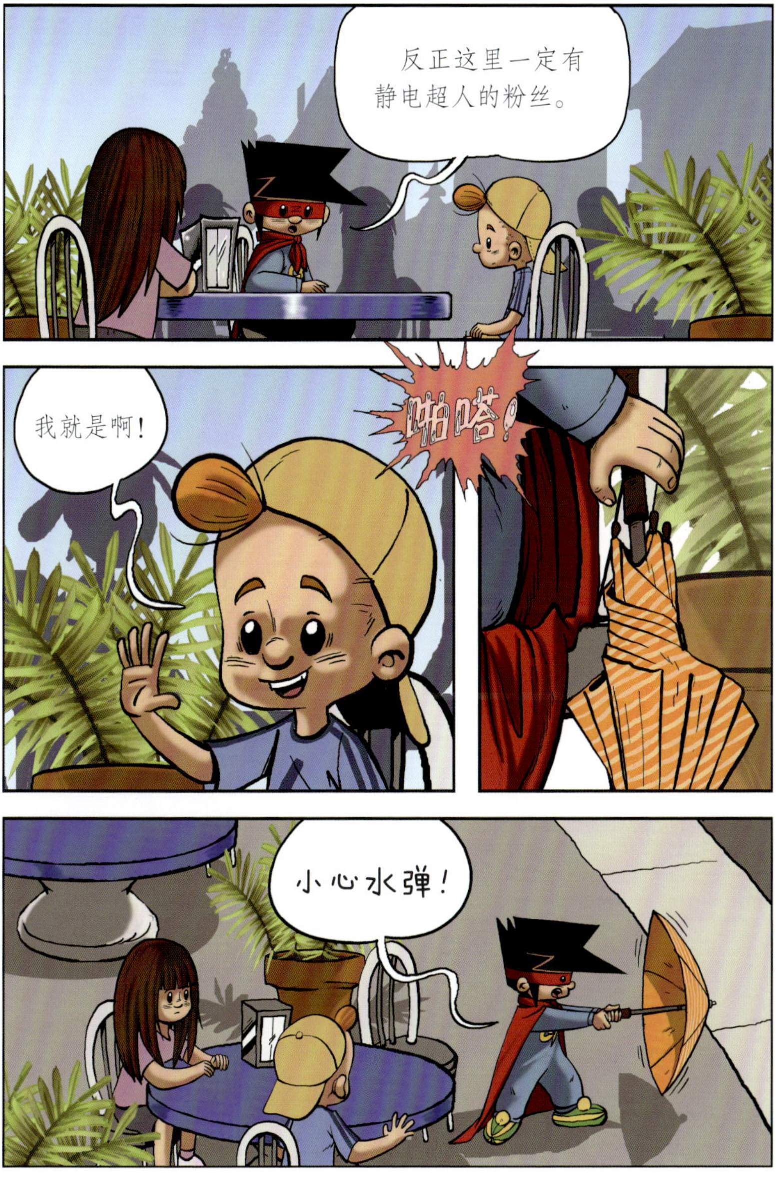
反正这里一定有
静电超人的粉丝。
我就是啊！
啪嗒！
小心水弹！

五秒钟后，一个水弹在我的雨伞上爆开。

哗啦！

嘻嘻嘻！

水溅到周围的顾客身上，我们三个倒是滴水未沾。多亏我有先见之明。

我把目光扫向四周，想知道水弹来自何方。这时，冰淇淋店对面的一栋两层楼房吸引了我的注意。

"在那上面！我看见有人在动！"

事不宜迟！我立刻穿过人群，冲向马路。我灵活地绕开穿梭而过的汽车，来到那栋楼下。楼房走廊的尽头有一段楼梯，"哗啦"一定就是从楼梯爬上去再爬下来的。"哗啦"是我给神秘袭击者取的外号，我一定要揭开他的真面目！

我来到楼梯口,正准备爬楼,却意外发现了一个哭泣的小女孩。她那一头金色的长发湿淋淋的,水滴顺着她的发丝往下滴落。

"救命啊,静电超人!"

"我来了……我……"

真该死,我忘记了自己的口号!下次我得找一本《超级英雄用语辞典》,根据不同情况选用不同的口号。现在,我唯一能说出口的是:"别害怕,我在这里。你叫什么名字?"

"我叫凯莉。"

"呃……这是一个……好听的名字。你知道是谁朝你扔的水弹吗?"

"我看到有人从楼梯上冲下来,然后'啪嗒'一声,我就被水弹打中了。"

凯莉望向人群。她的目光很快便停留在一个穿着古怪的人身上。她兴奋地指着他大喊:"就是他!就是他!是那个穿红色高领外套的人！"

我看到了她所指的那个人。他鼻子以下的部分都被高高的衣领遮住了。

"啪嗒！啪嗒！"

我嘴里这样喊着，好几个人转过身来，包括那个嫌疑人。我严重怀疑他就是大乔！

我冲人群中的他大喊："你！对！就是你！"

好几个人都以为我是在叫他们。

我只好一直说："不，不是你！""不是你！""不是你！""是你！"

这下红色高领外套男孩明白了，我是冲着他来的。他身边的路人都闪开了，与他拉开一段距离，我也不怕伤及无辜了。通常，我都会先质问对方再动手，今天只能是特殊情况特殊处理了！

噼啪

你在做什么，静电超人？

他就是"啪嗒"，那个扔水弹的人！他这是罪有应得。我敢保证，他就是大乔！

我朝那个人走去。他半天才回过神来,露在衣领外面的脸黑黢黢的。

另一个与他年龄相仿的戴棒球帽的男孩,正在一旁关切地询问。

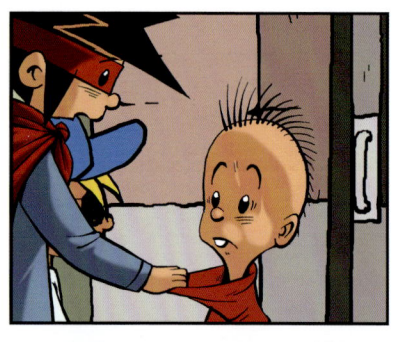

中水弹的又是我！我这才想起，我的雨伞落在了冰淇淋店的椅子上！

棒球帽男孩把朋友扶起来，两人一起慢慢走了。棒球帽男孩把一个东西递给红色高领外套男孩："给，巴兹，吃块口香糖吧，提提神。"

"你包里还有漫画书吗？"

"有是有，巴兹，但是不太好看……"

第 5 章

在这个城市里,有一些我不太喜欢的地方,比如说这条阴森森的小巷。它位于两栋楼房之间,路面狭窄。我加快脚步,想快点儿走出小巷,回到大马路上去。佩内洛普和弗雷德紧跟在我后面。

不好,有情况!我停住脚步,换上拖鞋,又从披风上取下一截特意加上去的布料,然后把它铺在地上,双脚踏上去用力摩擦。

充上电后我才感觉好一些,重新有了安全感,随时准备应对一切突发状况。果然,不出所料……

弗丽斯小姐和大乔一伙从一堵墙的后面走了出来。

弗丽斯小姐的手里还把玩着一个水弹。

"要不要清爽一下呀,静电超人?"

不单是她,大乔一伙也每人拿着一个水弹,大乔怀里抱着的那个最大。

"这是专门为你准备的礼物,静电超人。"他对我说。

我很想跟他们算一笔总账,可惜他们之间隔得太远了。

弗丽斯小姐发现了我的意图。

大乔一伙纷纷举起手中的水弹,瞄准佩内洛普和弗雷德。我只得作罢。弗丽斯小姐扬扬得意。

> 那第一个水弹就送给你吧,静电超人,它可以让你尝尝短路的滋味。
>
> 然后我们再好好教训你一顿。对吧,安吉利库库?

弗丽斯小姐气得快要跳起来了。

"你这个屡教不改的大傻瓜!"

弗丽斯小姐觉得自己胜券在握,一个腾空转身,朝我的方向袭来。她旋转是为了加大投掷水弹的力度。就在这时,弗雷德出手了,他迅速跳到我面前。

弗雷德挡住了水弹，我毫发无伤。回头我再好好感谢他！没等对方反应过来，我就用手指瞄准了大乔。

片刻之后,大乔就成为他自己的水弹的受害者,成了名副其实的"大红人"。

弗丽斯小姐非常恼火:"你这个傻瓜,居然往气球里装颜料!"

佩内洛普帮弗雷德重新站定。

这时,居然有两个水弹稳准狠地打在大乔和弗丽斯小姐身上,把他们砸得四下奔逃。

"我们撤!"弗丽斯小姐大喊。

又一个水弹在她头上降落,他们逃得更快了。小巷里重归宁静。

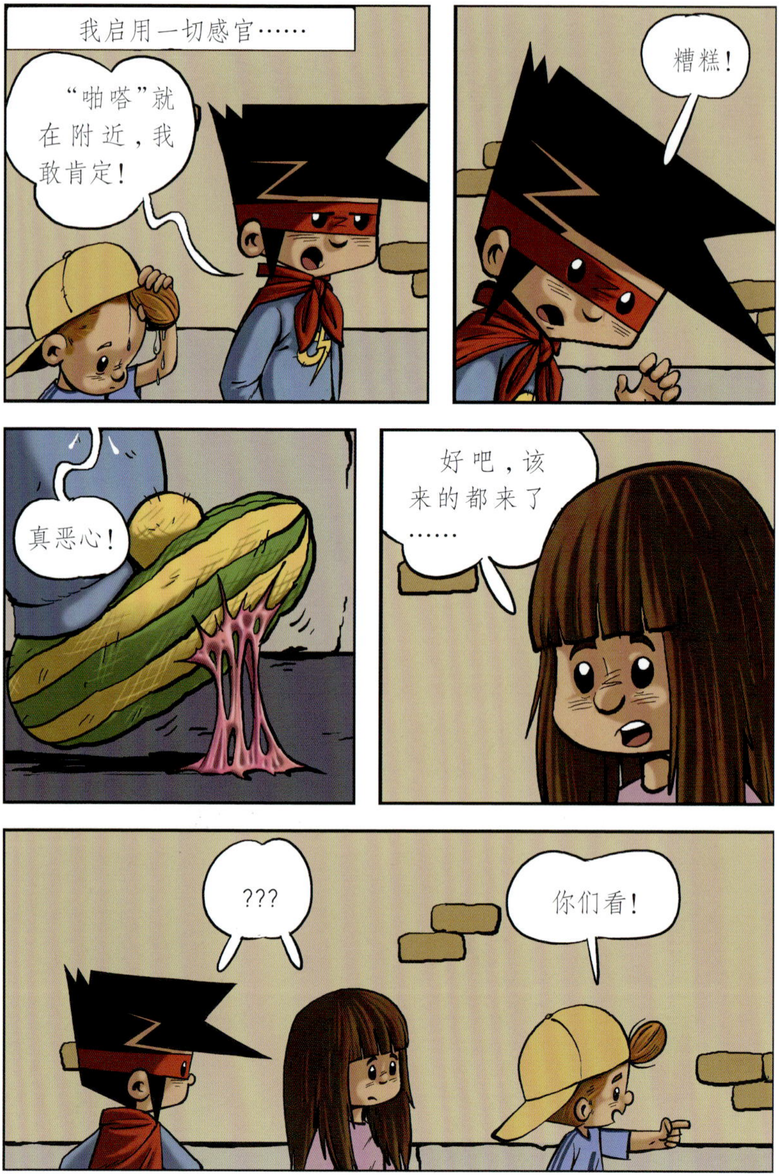
我启用一切感官……
“啪嗒”就在附近，我敢肯定！
糟糕！
真恶心！
好吧，该来的都来了……
???
你们看！

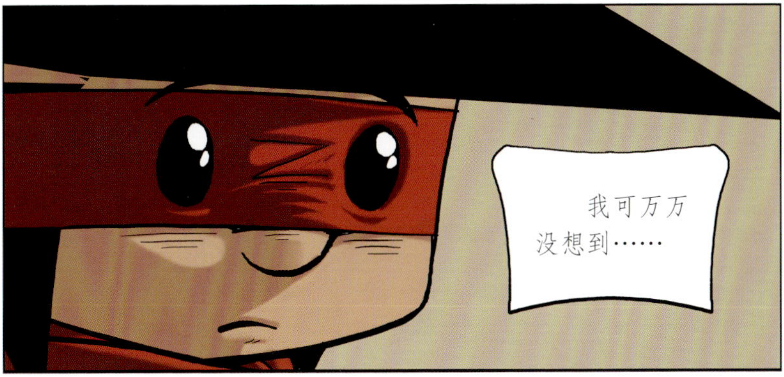
我可万万
没想到……

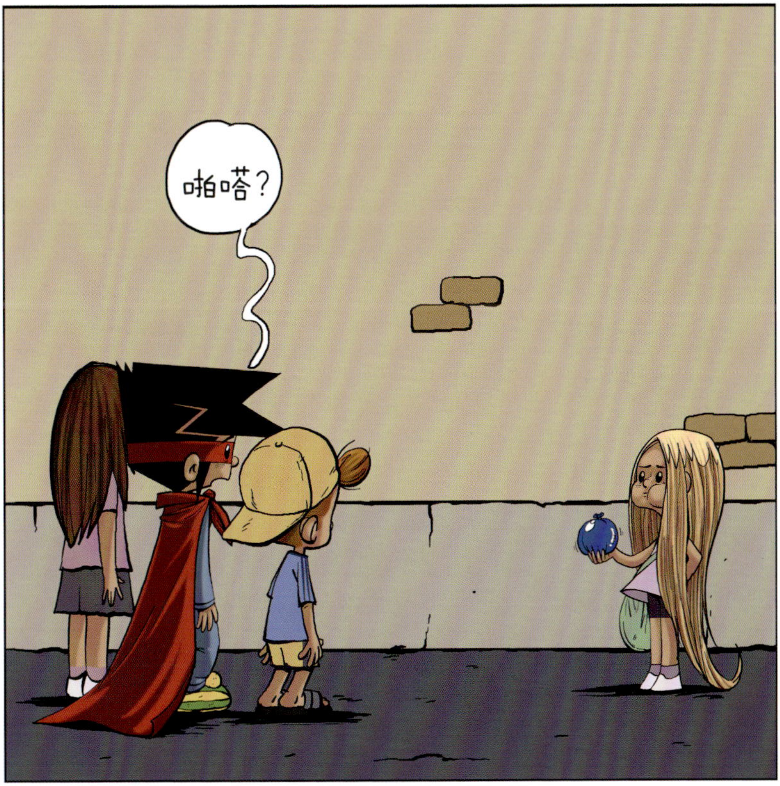
啪嗒？

尾 声

"啪嗒"原来是凯莉!

难道就是这个小丫头用她的"大规模杀伤性武器"把整个城市搅得不得安宁?

其实,当我发现她在大街上随便指一个人误导我时,我就已经有点儿怀疑了。被一个跟弗雷德一般大小的女孩砸得透透湿,耍得团团转,我真是太狼狈了!

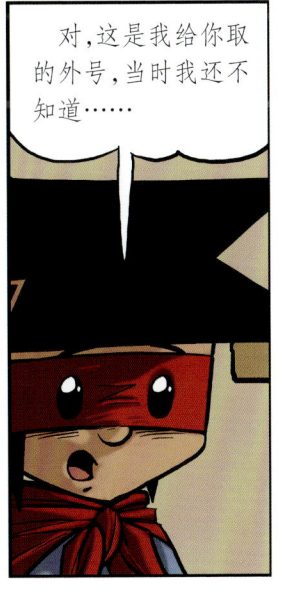

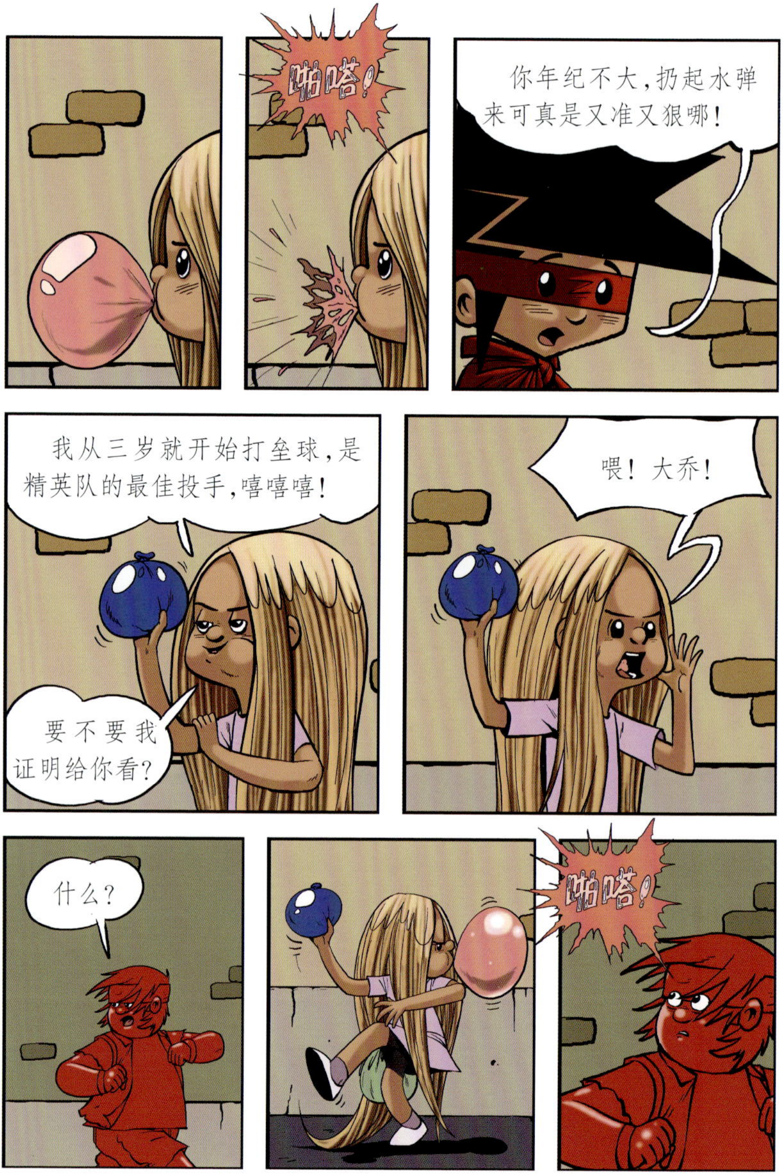
啪嗒!
你年纪不大，扔起水弹来可真是又准又狠哪！
我从三岁就开始打垒球，是精英队的最佳投手，嘻嘻嘻！
要不要我证明给你看？
喂！大乔！
什么？
啪嗒!

我谢谢凯莉赶来帮助我们。

"如果不是你出手相助,那些坏蛋一定会给我们制造不少麻烦。但是……"

我摆出一副严肃的样子。

"但是什么?"凯莉、佩内洛普和弗雷德异口同声地问。

"没错,凡事都有一个'但是'。你拿水弹戏弄了不少人,首个受害者就是我。"

凯莉耸耸肩。她吹了一个泡泡,发出"啪嗒"一声。

"这只能怪你,静电超人。"凯莉说。

她的话让我大吃一惊。什么?怪我?

"怎么会怪我呢?我没对你做什么吧?"

凯莉突然变得有点儿不好意思。她甚至脸都红了。

"这是我唯一能……吸引你注意的方式……嘻嘻嘻!"

听凯莉这么说,佩内洛普可不怎么高兴。

"把我们淋个透湿?这也太奇怪了吧?"

真是的!

"凯莉,你不是还用水弹打过别人吗?比如我们的帕提斯老师,还有佩内洛普。"

凯莉说,她本来不是要砸他们的。

"所有的水弹都是给你的,只是,有时你在最后一秒闪开了。"

我还是很迷惑。

"为什么是我呢,凯莉?"

佩内洛普笑了,好像发现了什么。

"唉,静电超人,我想,凯莉应该是你的粉丝吧!"

现在轮到我不好意思了。

天哪,我真的需要一本《超级英雄用语辞典》!

"呃……谢谢你……要不,我给你签个名?或者送你一张我的照片?"

"好啊!"

凯莉笑了，她嚼着口香糖，又吹了一个泡泡。

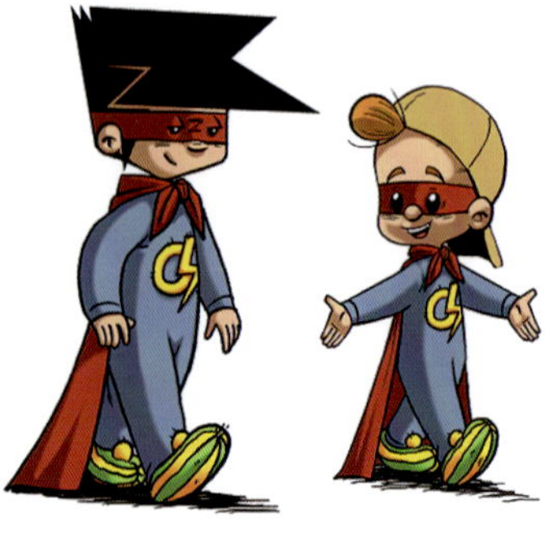